CAPITÃO CUECA em cores
e o ataque das privadas falantes

TRÁ-LÁ-LÁAAA

TRADUÇÃO DE
GALIANA LINDOSO

O SEGUNDO ROMANCE ÉPICO DE
DAV PILKEY

Companhia das Letrinhas

Copyright do texto e das ilustrações © 1997 by Dav Pilkey

Grafia atualizada segundo o Acordo Ortográfico da Língua Portuguesa de 1990, que entrou em vigor no Brasil em 2009.

Título original
CAPTAIN UNDERPANTS AND THE ATTACK OF THE TALKING
TOILETS NOW IN FULL COLOR

Preparação
PAULA MARCONI DE LIMA

Revisão
ARLETE SOUSA
LUCIANA BARALDI

Composição e tratamento de imagem
M GALLEGO • STUDIO DE ARTES GRÁFICAS

Dados Internacionais de Catalogação na Publicação (CIP)
(Câmara Brasileira do Livro, SP, Brasil)

    Pilkey, Dav
    Capitão Cueca e o ataque das privadas falantes
em cores: o segundo romance épico de Dav Pilkey;
tradução de Galiana Lindoso — 1ª ed. — São
Paulo: Companhia das Letrinhas, 2017.

    Título original: Captain Underpants and the
Attack of the Talking Toilets Now in Full Color
    ISBN 978-85-7406-778-0

    1. Literatura infantojuvenil. I. Título.

17-02875   CDD-028.5

Índices para catálogo sistemático:
1. Literatura infantil 028.5
2. Literatura infantojuvenil 028.5

2017

Todos os direitos desta edição reservados à
EDITORA SCHWARCZ S.A.
Rua Bandeira Paulista, 702, cj. 32
04532-002 — São Paulo — SP — Brasil
Telefone: (11) 3707-3500
www.companhiadasletrinhas.com.br
www.blogdaletrinhas.com.br

Para Alan Boyko

SUMÁRIO

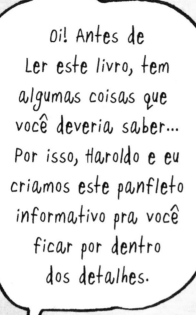

A VERDADE ULTRASSECRETA

SOBRE O CAPITÃO CUECA

Por Jorge Beard e Haroldo Hutchins
(que negam tudo)

Era uma vez dois garotos legais chamados Jorge e Haroldo

Eu sou legal

Eu também

Eles faziam seus próprios gibis sobre um super-herói chamado Capitão Cueca

Trá- Lá- -Láaaa

Todo mundo achava os gibis muito engraçados

ha-ha-ha-ha-ha

Exceto o velho diretor, diretor malvado, sr. Krupp.

Blá blá Blá

Um dia, o Sr. Krupp estava sendo malvado com Jorge e Haroldo.

Blá blá Blá blá

Então eles compraram o Hipnoanel 3D.

Eles hipnotizaram o sr. Krupp.

Eu obedecerei

E o transformaram no Capitão Cueca.

Mas o sr. Krupp pensou que realmente era o Capitão Cueca. Ele pulou da janela para lutar contra o crime.

ô-ôu!

Trá-Lá-Láaaa

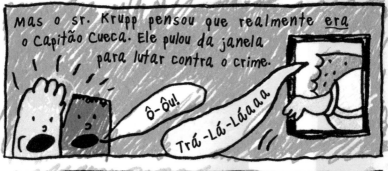

Jorge e Haroldo tentaram impedi-lo, mas tiveram que salvar o mundo primeiro.

O vilão

CA-BUUM

Quando eles voltaram pra escola, Jorge jogou água na cabeça do Capitão Cueca.

Ele voltou a ser o sr. Krupp. Mas alguma coisa ficou errada.

Blá blá Blá

Porque agora (por alguma estranha razão), toda vez que o sr. Krupp ouve alguém estalando os dedos...

TEC

.... ele volta a ser o Capitão Cueca!

Trá- -Lá-Lá a a a

Por isso, por favor, nunca estale os dedos perto do sr. Krupp.

Por favor, por favor!!! Não estale os dedos!

Isto foi um serviço de alerta público de Jorge e Haroldo... (que continuam negando tudo).

FIM

Quadrinhos
Casa na Árvore S/A

1. JORGE E HAROLDO

Esses são Jorge Beard e Haroldo Hutchins. Jorge é o garoto da esquerda, de gravatinha e cabeça chata. Haroldo é o que está à direita, de camiseta e um corte de cabelo esquisito. Lembre-se disso.

Dependendo da pessoa para quem você perguntar, provavelmente vai ouvir muitas coisas diferentes sobre Jorge e Haroldo.

A professora deles, sra. Ribble, vai dizer que Jorge e Haroldo são *perturbados*.

O professor de educação física, sr. Edomal, acrescentará que eles precisam seriamente de um bom *ajuste de postura*.

O diretor, sr. Krupp, provavelmente terá uma variedade mais ampla de palavras a apresentar, como *furtivos* e *criminosamente prejudiciais* e *"Eu vou pegar esses garotos nem que seja a última coisa que eu..."*. Bem, você captou a ideia.

Mas, se você perguntar aos pais dos dois, eles provavelmente vão dizer que Jorge e Haroldo são muito espertos e engraçadinhos e de muito boa índole… embora às vezes sejam meio bobos.

Eu concordo com os pais deles.

Mas a tolice deles *realmente* causa muita
confusão às vezes. Uma vez causou tanta confusão
que, por acidente, eles quase, quase destruíram
todo o planeta com um exército de perversas
e cruéis privadas falantes!

Mas, antes de contar essa história, eu tenho
que te contar *esta* história...

14

2. ESTA HISTÓRIA

Numa linda manhã na escola Jerome Horwitz, Jorge e Haroldo tinham acabado de sair da aula de educação física funcional do quarto ano quando viram um grande cartaz no corredor.

Era um anúncio do segundo ano da Convenção da Invenção.

Jorge e Haroldo tinham boas lembranças da Convenção da Invenção do último ano, mas a deste ano era um pouco diferente. O vencedor do primeiro prêmio seria "Diretor por um dia"!

— Oba! — falou Jorge. — Quem for o diretor nesse dia vai criar todas as regras, e todo mundo na escola vai ter que obedecer!

— Nós *temos* que ganhar o primeiro prêmio este ano! — exclamou Haroldo.

Justo nesse momento, o diretor da escola, sr. Krupp, apareceu.

— HA-HÁ! — ele gritou. — Aposto que vocês dois estão tramando alguma coisa!

— Não, mesmo — falou Jorge. — Só estávamos lendo sobre o concurso deste ano.

— Isso — concordou Haroldo. — Nós vamos ganhar o primeiro prêmio e seremos *diretores por um dia*!

— Ha-ha-ha-ha-ha! — riu o sr. Krupp.

— Vocês acham *sinceramente* que eu deixaria vocês dois participarem do concurso deste ano depois da proeza que fizeram na convenção do *ano passado*?!!?

Jorge e Haroldo sorriram e se lembraram da primeira Convenção da Invenção...

3. A LEMBRANÇA

Isso foi mais ou menos um ano antes, e todos
os professores e alunos da escola Jerome Horwitz
tinham se reunido no ginásio de esportes
para o que mais tarde ficaria conhecido como
"O incidente da cadeira pegajosa". Jorge e Haroldo
foram até o microfone.

— Damas e cavalheiros — falou Jorge —,
Haroldo e eu inventamos algo que, podemos garantir,
vai deixar todos vocês *colados* em seus assentos!

— Sim — disse Haroldo. — Demos à nossa
invenção o nome de *grude*.

O sr. Krupp ficou muito bravo.

— Vocês dois não inventaram a *cola*! — gritou.
E se levantou para tirar o microfone de Haroldo, só
que a cadeira levantou junto com ele, grudada em
sua calça. Todo mundo no ginásio caiu na risada.

A secretária da escola, srta. Anthrope, levantou-se
para ajudar o sr. Krupp a se desgrudar. A cadeira dela
também se levantou. Todo mundo no ginásio riu
mais ainda.

Os outros professores se levantaram em seguida e você já deve ter adivinhado — também ficaram grudados. Todo mundo do auditório rolava de tanto rir.

Um garoto se levantou para ir ao banheiro, e a cadeira foi junto com ele. Na mesma hora, o auditório parou de rolar de rir. Todos conferiram seus assentos e, de repente, a risada parou por completo. Todo mundo da escola estava colado na cadeira.

Veja: se era mesmo verdade que Jorge e Haroldo não haviam inventado a cola, eles *haviam*, no entanto, inventado um novo *tipo* de cola. Ao simplesmente misturar super bonder e suco de laranja concentrado, eles criaram uma cola de secagem rápida, ativada pelo calor do corpo. Naquela manhã, tinham passado essa cola especial em todas as cadeiras da quadra de esportes (exceto nas próprias).

Todo mundo no ginásio olhava fixamente para Jorge e Haroldo e todo mundo *fervia* de raiva.

— Tive uma ideia — falou Jorge.

— O quê? — perguntou Haroldo.

— CORRA!!! — gritou Jorge.

Jorge e Haroldo estavam com um sorriso de orelha a orelha, lembrando aquela invenção e o caos que ela provocou.

— Foi hilariante — riu Haroldo.

— Foi mesmo — concordou Jorge. — Vai ser difícil de superar este ano!

— Bem, vocês não terão uma chance este ano — falou o sr. Krupp e, pegando uma lupa, segurou-a sobre um parágrafo minúsculo no cartaz.

"Este concurso está aberto a todos os estudantes do terceiro e quarto anos, EXCETO Jorge Beard e Haroldo Hutchins..."

— Quer dizer que não podemos participar do concurso? — perguntou Haroldo.

— É pior do que isso — riu o sr. Krupp. — Vocês, garotos, não podem nem mesmo *assistir* à convenção deste ano. Vou colocá-los na sala de estudos durante o dia inteiro! — E o sr. Krupp se virou e foi embora, rindo vitoriosamente.

— Sacanagem! — comentou Haroldo. — E agora, o que vamos fazer?

— Bom — respondeu Jorge —, você conhece o velho ditado: se não pode juntar-se a eles, *vença-os*!

4. A INVENÇÃO

MAÇÃ ELÉTRICA

SAPATO AUTO-MÁTICO

FATIZ MAX

No começo da noite, Jorge e Haroldo voltaram sorrateiramente à escola com seus instrumentos. Entraram escondidos no ginásio e deram uma olhada.

— Acho que alguém ainda está por aqui — sussurrou Haroldo.

— Ah, é só o Melvin Sneedly — falou Jorge.

Melvin era o gênio da escola. Estava ocupado dando os últimos retoques em sua nova invenção para o concurso.

— Vamos esperar aqui até ele sair — cochichou Haroldo.

— De jeito nenhum — falou Jorge. — Ele pode ficar aqui a noite inteira! Vamos lá falar com ele.

Quando Melvin viu Jorge e Haroldo se aproximando, não ficou nada feliz. — Ah, *não*! — falou. — Aposto que vocês estão aqui para bagunçar as invenções de todo mundo.

— Bom palpite — comentou Jorge. — Olha, prometemos não mexer na *sua* invenção, se você garantir que não vai contar para *ninguém* que nos viu aqui esta noite.

Melvin olhou carinhosamente para a sua invenção e concordou relutante.

— Prometo — disse.

— Ótimo — falou Jorge. — Mas, diga, o que é essa sua invenção, afinal? Parece uma máquina de xerox.

— Bom, isto *era* uma máquina de xerox — falou Melvin —, mas fiz algumas modificações importantes. Agora ela é uma invenção que vai revolucionar o mundo. E eu a chamo de FATIZ MAX.

— Vai revolucionar o mundo e você chama de *FATIZ*??? — perguntou Haroldo.

— Sim — disse Melvin. — FATIZ é uma abreviação para Fotoatômica Transglobuladora Iectofantriplutônica Zanziptomizadora.

— Desculpe ter perguntado — respondeu Haroldo.

— Permita-me fazer uma demonstração — falou Melvin. — A FATIZ MAX pode pegar qualquer imagem unidimensional e criar uma cópia viva, real e tridimensional dessa imagem. Por exemplo, olhem esta foto comum de um rato.

Melvin colocou a foto do rato na tela de vidro da FATIZ MAX e apertou o botão "iniciar".

As luzes do ginásio bruxulearam como se toda a energia da escola estivesse sendo sugada pela FATIZ MAX. A máquina começou a vibrar e zumbir estrepitosamente e pequenos raios de energia estática saíam da parte de baixo.

— Espero que essa coisa não exploda — disse
Haroldo.

— Ah, isso não é *nada* — disse Melvin. — Você
devia ter visto como a FATIZ MAX reagiu quando
eu copiei um *poodle*!

Finalmente, depois de uma série de luzes e sons
estridentes, tudo parou. Um pequeno tilintar foi
ouvido e um ratinho rastejou pela abertura lateral
da FATIZ MAX, pulando no chão.

— Não é maravilhoso? — perguntou Melvin.

Jorge examinou o rato de perto.

— É um ótimo truque — riu. — Por um instante eu quase acreditei!

— Mas *não* é um truque — gritou Melvin. — A FATIZ MAX *realmente* faz as fotos viverem! Já criei criaturas vivas até de *pinturas e desenhos*!

— Certo, *certo*! — riu Haroldo. — E eu pensava que *nós* éramos os trapaceiros!

Jorge e Haroldo saíram rindo. Era hora de continuar a fazer coisas maiores e melhores.

5. COISAS MAIORES E MELHORES

Jorge e Haroldo foram para o outro lado do ginásio, abriram suas mochilas e começaram a trabalhar.

Jorge virou ao contrário todos os esguichos do Lavador Automático de Cachorro, enquanto Haroldo enchia o tanque de sabão com tinta.

Depois, os dois foram para o Detector de Vulcão.

— Por favor, me passe a sacola de pudim de caramelo e a chave de parafuso — pediu Haroldo.

— Claro — falou Jorge, enquanto colocava ovos dentro do Atirador Automático de Bolas de Pingue-Pongue com todo o cuidado.

6. A CONVENÇÃO DA INVENÇÃO

O dia seguinte amanheceu ensolarado e alegre.
Os estudantes e professores entraram todos no
ginásio e, com *muita atenção*, conferiram as
cadeiras antes de se sentar.

— Sejam bem-vindos — saudou o sr. Krupp,
que estava de pé com o microfone. — Hoje
vocês não precisam se preocupar com cadeiras
grudentas, ele observou. — Eu tomei providências
para ter certeza de que esta Convenção da
Invenção não será um desastre como a do ano
passado.

AVADOR
TOMÁTICO
CACHORRO

Todo mundo se acomodou enquanto Marlene
Mancini, aluna do terceiro ano, subia ao palco
para demonstrar o seu Lavador Automático
de Cachorro.

— Primeiro — disse Marlene — você coloca seu
cachorro na tina. Depois, você aperta este botão.

Marlene apertou o botão "ligar". De início, nada
aconteceu. Depois, de repente, vários jorros de
tinta preta com água foram lançados sobre todo

mundo. Todos (com exceção do cachorro) ficaram ensopados, e Marlene tentava desesperadamente desligar os jatos de tinta.

— Eu não consigo desligar isso! — ela gritava.

— Alguém virou todos os esguichos!

— *Quem* será que fez isso? — berrou o sr. Krupp.

O próximo a apresentar seu trabalho foi Daniel Lustrado, com seu Atirador Automático de Bolas de Pingue-Pongue. Ele ligou a máquina, que imediatamente começou a arremessar ovos extragrandes no auditório.

— Pou! Pou! Pou! Pou! Pou! — fez a máquina.

— Plaft! Plaft! Plaft! Plaft! — fizeram os ovos.

— Eu não consigo desligar a máquina! — gritava Daniel. — Alguém colocou um clipe de papel no controle!

— Mas *quem* será que fez isso? — perguntou a sra. Ribble.

O Detector de Vulcão de Fred Mengo também foi um fracasso. Quando Fred conectou os circuitos na bateria de nove volts, uma grande mola (que estava presa no centro da miniatura de vulcão) arremessou uma enorme sacola de plástico com pudim de caramelo para o alto e para a frente, sobre o público.

A sacola aterrissou em algum lugar entre a terceira e a quarta fileiras. *Plaft!*

— Poxa! — gemeu Fred. — Alguém colocou pudim no meu vulcão!

— *Quem* será que fez isso? — perguntou o sr. Edomal.

O resto do dia continuou da mesma maneira, com o pessoal gritando desde "Ei! Quem colocou mingau de aveia no meu Soprador de Folha Movido a Energia Solar?" a "Ei, quem tirou todos os ratos da minha Esteira Autopropulsora?".

Não demorou muito para todo mundo sair correndo do ginásio e o segundo ano da Convenção da Invenção ser cancelado.

— *Como isso pôde acontecer?!!?* — gritava o sr. Krupp, enquanto tentava tirar xarope de chocolate, raspas de lápis apontados e creme de cogumelo da sua cara e da sua camisa.

— Jorge e Haroldo ficaram o dia inteiro na sala de estudos! *Eu mesmo* os deixei lá!

— Hum, licença, sr. Krupp — falou Melvin Sneedly. — Eu acho que sei a resposta para a sua pergunta.

"BUUM!", fez a porta da sala de estudos. O sr. Krupp chutou-a como se estivesse enlouquecido. Jorge e Haroldo *nunca* o haviam visto bravo daquele jeito.

— Vocês, garotos, agora têm um *ENORME PROBLEMA!* — gritou o sr. Krupp. — Vou deixar vocês dois em CASTIGO PERMANENTE pelo RESTO DO ANO LETIVO!

— Espere um momento — gritou Jorge. — Você não pode provar nada!

— É mesmo — disse Haroldo. — Nós ficamos aqui o dia inteiro!

O sr. Krupp sorriu diabolicamente e olhou em direção à porta.

— Ei, *Melvin* — ele chamou.

Melvin Sneedly entrou na sala, coberto de mostarda, cascas de ovo e coco ralado.

— Foram eles, sim — disse Melvin, apontando para Jorge e Haroldo. — Eles estavam no ginásio ontem à noite!

— *Melvin!* — gritou Jorge, horrorizado. — Você *prometeu*!

— Mudei de ideia — disse Melvin com um risinho vingativo. — Divirtam-se no castigo!

8. A DETENÇÃO DA CONVENÇÃO DA INVENÇÃO

Depois das aulas, o sr. Krupp levou Jorge e Haroldo para a sala de detenção e escreveu uma longa sentença no quadro-negro.

— De agora em diante — rosnou o sr. Diretor — vocês vão ficar *duas horas por dia* depois das aulas copiando esta sentença muitas e muitas vezes. Eu quero todas as lousas desta sala *totalmente* preenchidas!

No caminho até a porta, o sr. Krupp se virou e disse com um sorriso mau: — E se um de vocês sair desta sala por *qualquer* motivo, vou *suspender* os dois!

Eu nunca mais farei nada que deixe meu lindo e charmoso diretor, sr. Krupp, bravo, nunca, nunca mais.

Mas, como vocês devem ter adivinhado, copiar sentenças na lousa não era nenhuma novidade para Jorge e Haroldo. Os dois garotos esperaram o sr. Krupp sair da sala e, então, cada um tirou quatro bastões de madeira de suas mochilas. Os bastões tinham buracos que Jorge e Haroldo haviam furado na carpintaria do pai de Jorge.

Jorge atarraxava os bastões enquanto Haroldo enfiava um pedaço de giz em cada buraco.

Depois, cada um pegou uma das varas que
haviam montado e os dois começaram a copiar
a sentença do sr. Krupp. Cada vez que escreviam
uma frase, doze ficavam prontas!

Depois de uns três minutos e meio, todas as
lousas da sala estavam totalmente preenchidas.

Jorge e Haroldo se sentaram e admiraram o trabalho.

— Agora temos um montão de tempo livre — falou Jorge. — Você tem alguma ideia?

— Vamos fazer um novo gibi! — sugeriu Haroldo.

Os dois garotos, então, pegaram papéis e canetas e criaram uma nova aventura de seu super-herói favorito. Chamava-se *Capitão Cueca e o ataque das privadas falantes*.

9. CAPITÃO CUECA E O ATAQUE DAS PRIVADAS FALANTES

Texto de Jorge Beard
Ilustração de Haroldo Hutchins

CAPITÃO CUECA
e o
ATAQUE das PRIVADAS FALANTES

Texto de Jorge Beard
Ilustração de Haroldo Hutchins

Um dia na escola, tudo estava bem normal...

As moças da cantina serviam sanduíches de rato torrado...

O diretor gritava

Blá blá Blá

O professor de educação física castigava todo mundo

Até minha vovozinha corre mais do que vocês, garotos!

Então um disco voador apareceu.

Ele lançou um raio do mal sobre a escola.

O raio fez todas as privadas ganharem vida. E também fez elas ficarem más.

As privadas estavam com fome

nham! nham! vamos comer!

Então elas comeram o professor de educação física.

Socorro! As privadas arranharam o carro de alguém e comeram o professor de educação física!

Tenha misericórdia, Deus! Era o _meu_ carro?

Isso parece um trabalho para o...

CRASH

Capitão Cueca!

O Capitão Cueca correu para o depósito.

nham! nham! vamos comê-lo!

Depósito

Ele achou um monte de desentupidores de pia.

Ele colocou os desentupidores dentro das privadas.

Suas bocas ficaram travadas.

Trá-Lá-Láaa

Eles se atracaram pra valer.

O Capitão Cueca era mais rápido do que uma cueca esticada...

zip

O Capitão Cueca era mais poderoso do que uma cueca samba-canção...

Trá-
-Lá-
-Láaaa

tof

E capaz de saltar sobre altos prédios sem que sua cueca ficasse apertada.

O Capitão Cueca sorrateiramente foi atrás da Privada Superturbo e puxou o elástico da cueca dela.

Poder do cuecão!

Êpa!

Quadrinhos
Casa na Árvore S/A

10. UM GRANDE ERRO

Jorge e Haroldo estavam na sala de detenção, lendo seu mais novo gibi, radiantes de orgulho.

— Temos que ir ao escritório e fazer cópias dele — disse Jorge —, aí vamos poder vender amanhã no recreio.

— Não podemos — falou Haroldo. — Você não lembra? O sr. Krupp disse que iria nos *suspender* se pegasse a gente fora desta sala!

— Então, não vamos deixá-lo nos pegar — disse Jorge.

Jorge e Haroldo saíram sorrateiramente da sala e se esgueiraram pelo corredor até o escritório.

— Epa! — disse Haroldo. — Tem um monte de professores lá dentro. Não vamos conseguir usar a máquina de xerox.

— Hummm — disse Jorge. — Tem alguma outra máquina de xerox na escola?

— E aquela que o Melvin levou para o ginásio? — perguntou Haroldo.

— É mesmo — disse Jorge.

Jorge e Haroldo se esgueiraram até o ginásio e encontraram a FATIZ MAX.

— Espero que ela ainda faça cópias — disse Haroldo. — Bem, o Melvin disse que fez alguns ajustes nela.

— Ah, ele só escondeu um rato aí dentro para nos fazer de bobos — disse Jorge. — É o truque mais velho do mundo. Tenho certeza de que esta máquina continua fazendo cópias normalmente.

Jorge colocou a capa do novo gibi de cabeça pra baixo na tela de vidro e apertou "iniciar".

De repente, as luzes de toda a escola ficaram mais fracas, e a FATIZ MAX começou a chacoalhar e a fazer um barulhão. Enormes raios de eletricidade estática saíram do fundo da máquina e um grande redemoinho se ergueu de sua tampa. Papéis soltos e outros pequenos objetos que estavam no ginásio foram sugados pelo vento e rodopiaram sobre a máquina como um ciclone enfurecido.

— Não acho que era para acontecer isso! — gritou Jorge.

Finalmente, depois de uma série de luzes
e raios assustadores, o barulho, o vento e as
faíscas pararam completamente. O único som
que se escutava era o de alguma coisa rosnando
e raspando lá dentro da estufada e danificada
estrutura da FATIZ MAX.

— Parece que tem alguma coisa *viva* aí dentro
— comentou Haroldo.

Jorge arrancou o gibi de cima da máquina. —
Vamos sair daqui! — gritou.

Nesse momento, ouviu-se um pequeno *estalido* e uma privada de tamanho normal, brilhando de tão branca, saiu da FATIZ MAX. Seus dentes eram pontudos e afiados, seus olhos bravos e incandescentes.

— NHAM, NHAM, VAMOS COMÊ-LOS! — gritava a privada diabólica.

Quase imediatamente, outra privada falante surgiu, seguida por outra e outra *e mais outra*.

— NHAM, NHAM, VAMOS COMÊ-LOS! — elas gritavam.

— Ah, *NÃO*! Melvin estava *CERTO*!!! A Fotoatômica Transgloburadora Iectofantriplutônica Zanziptomizadora *REALMENTE* cria cópias vivas e tridimensionais de imagens unidimensionais! — gritou Haroldo, confuso.

— Tenho uma ideia — disse Jorge.

— O quê? — perguntou Haroldo.

— *CORRA!* — gritou Jorge.

11. A SUSPENSÃO DA DETENÇÃO DA CONVENÇÃO DA INVENÇÃO

Jorge e Haroldo gritaram e saíram correndo da quadra de esportes, fechando a porta com força.

— *A-HÁ*!!! — gritou o sr. Krupp, que passava pelo corredor. — Vocês saíram da sala de detenção! Vocês sabem o que isso significa, não sabem?!!?

— *Não foi nossa culpa!* — gritou Haroldo.

— *Que pena!* — gritou o sr. Krupp com satisfação. — Vocês, garotos, agora estão oficialmente *SUSPENSOS*!!!

— *Espere* — gritou Jorge. — Você tem que nos escutar! Atrás desta porta tem um exército de privadas diab...

— *Nunca mais* vou ter que escutar vocês, garotos — riu o sr. Krupp. — Agora, peguem suas coisas e saiam desta escola!

— Mas... mas... — gaguejava Haroldo — você não enten...

— *SAIAM!!!* — berrou o sr. Krupp.

Jorge e Haroldo resmungaram e foram até o armário pegar suas coisas.

— Poxa! — disse Haroldo. — Em um só dia, ficamos de castigo, levamos uma suspensão *e* criamos um exército de privadas falantes diabólicas que querem dominar o mundo.

— É um péssimo dia, mesmo para o *nosso* padrão — concordou Jorge.

— Bom — disse Haroldo. — Só espero que as coisas não piorem.

12. AS COISAS PIORARAM

Rapidamente, espalhou-se pela escola a notícia de que Jorge e Haroldo tinham sido suspensos. Os professores correram para comemorar.

— Vocês têm um problemão agora — gozava a srta. Anthrope. — Mal posso esperar para ligar para seus pais e contar as novidades!

— Vamos levar as carteiras deles para o pátio e destruí-las! — gritou a sra. Ribble.

— Vamos fazer uma festa no ginásio! — gritou o sr. Edomal.

— *NÃOOO!* — gritou Jorge. — Façam o que quiserem, mas *NÃO* abram a porta do ginásio.

— Nós podemos fazer tudo o que quisermos — rosnou o sr. Edomal, enquanto empurrava a porta. — Olhe, estou abrindo a porta! — ele disse, abrindo a porta. — Agora estou fechando — disse.

— Agora estou abrindo a porta outra vez, e agora eu... *AAAAHHHH!* — *Splash!*

Uma privada diabólica enfiou sua boca pela porta, abocanhou o sr. Edomal e o engoliu inteiro! *Glub!*

As privadas falantes, então, passaram pela porta aberta do ginásio e se espalharam pelo corredor.

— NHAM, NHAM, VAMOS COMÊ-LOS! — berravam as privadas. — NHAM, NHAM, VAMOS COMÊ-LOS!

Os professores não podiam acreditar no que viam. Eles gritavam e corriam para salvar suas vidas. Apenas o sr. Krupp, a sra. Ribble, Jorge e Haroldo permaneceram, congelados pelo medo. Ficaram olhando, paralisados, enquanto as privadas falantes chegavam cada vez mais perto. Finalmente, a sra. Ribble apontou para elas e estalou os dedos.

TEC!

— Para trás — ela gritava. — Para trás, agora! — Mas as privadas não escutavam. E chegavam cada vez mais perto.

Finalmente, a sra. Ribble resolveu dar meia-volta e correu. O sr. Krupp, no entanto, continuou lá parado, atordoado. Jorge e Haroldo olharam para ele.

— Ô-ôu — disse Haroldo. — Ela acabou de *estalar os dedos*?!!?

— Sim — disse Jorge. — Agora *realmente* temos um problema.

E Jorge estava certo, pois, naquele momento, o sr. Krupp começou a mudar. Um tolo e heroico sorriso apareceu em sua face e o diretor se postou desafiador diante de seus inimigos.

— Darei um fim em vocês, suas vilãs vis — ele falou sem medo. — Mas, primeiro, preciso de alguns *acessórios*!!!

O sr. Krupp se virou e correu para a sua sala.
Jorge e Haroldo correram atrás.

— Por que a sra. Ribble tinha que estalar
os dedos?!!? — gritou Jorge. — *Por quê?!!?*

— Isso não importa — gritou Haroldo. —
O sr. Krupp está virando o Capitão Cueca! Temos
que jogar água na cabeça dele antes que seja tarde
demais!

13. TARDE DEMAIS!

Quando Jorge e Haroldo conseguiram chegar
à sala do Sr. Krupp, encontraram suas roupas,
seus sapatos e sua velha peruca no chão.

— Olhe — disse Haroldo. — A janela está
aberta, e uma das cortinas vermelhas não está
aqui.

— O que faremos agora? — perguntou Jorge.
— Salvamos o Capitão Cueca ou ficamos aqui
para ser comidos por um bando de privadas?

— Hummm... Vou pensar! — falou Haroldo,
enquanto pulava pela janela.

Jorge rapidamente recolheu as coisas do
sr. Krupp e enfiou-as na mochila. Depois, pulou
pela janela como Haroldo. Os dois garotos
escorregaram pelo mastro da bandeira e correram
atrás do Capitão Cueca.

— Aonde ele pensa que vai? — perguntou Jorge.

— Não faço ideia — disse Haroldo. — Mas
é melhor correr rápido, pois acho que estamos
sendo *seguidos*!

O Capitão Cueca corria pelos quintais da vizinhança, pegando cuecas dos varais.

— Mamãe — disse um garotinho que olhava pela janela. — Um homem com uma capa vermelha acabou de roubar nossas cuecas.

— E agora dois garotos estão sendo perseguidos por ferozes privadas com dentes pontudos e afiados, gritando "Nham, nham, vamos comê-los!".

— *Sei!* — riu sua mãe. — Você acha mesmo que eu acredito em *tudo*, não é?!!?

14. PRIVADAS FALANTES ASSUMEM O CONTROLE

Quando terminou de confiscar as cuecas dos vizinhos, o Capitão Cueca voltou à escola Jerome Horwitz para salvar o dia.

A escola agora era um verdadeiro caos. A sra. Ribble saiu gritando pela porta, seguida por milhares de diabólicas privadas.

— Socorro! — ela gritava. — As privadas engoliram todos os professores da escola, menos eu!

— Não se preocupe, senhora, eu não deixarei que elas a comam — disse o Capitão Cueca enquanto uma privada engolia a professora.

— Ooops! — disse o Capitão Cueca.

Agora restavam apenas Jorge, Haroldo e o Capitão Cueca. Eles estavam no gramado na frente da escola, cercados por todos os lados por privadas que babavam esfomeadas.

— NHAM!! NHAM!! VAMOS COMÊ-LOS! — cantavam as Privadas Falantes. — NHAM!! NHAM!! VAMOS COMÊ-LOS! *NHAM!! NHAM!! VAMOS COMÊ-LOS!* NHAM!! NHAM!! VAMOS COMÊ-LOS!

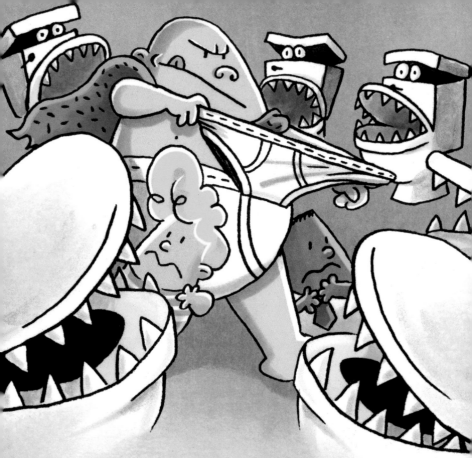

— Estamos *perdidos*! — gritou Haroldo.

— *Nunca* subestime o poder das cuecas! — gritou o Capitão Cueca, esticando e atirando cuecas dentro das boconas abertas das Privadas Falantes.

Infelizmente, as privadas simplesmente engoliam as cuecas inteiras, o que parecia deixá-las mais e mais esfomeadas.

— Se a gente pensasse em alguma coisa que as deixasse realmente *enjoadas* — disse Jorge.

— Sim — concordou Haroldo. — Alguma coisa bem horrível e nojenta, para fazê-las vomitar e *se contorcer em agonia*!

De repente, os rostos de Jorge e Haroldo se iluminaram.

— COMIDA DA CANTINA! — gritaram.

E mais rápido do que uma cueca lançada com toda força, nossos três heróis correram para a escola.

15. AO RESGATE COM PICADINHO DE CARNE COM CREME!

Jorge, Haroldo e o Capitão Cueca conseguiram entrar a salvo na escola e fecharam a porta atrás deles.

— Acho que todas as privadas estão lá fora — disse Jorge.

— Mas não por muito tempo — falou Haroldo.

Rapidamente, os três correram para a cantina e acharam um carrinho com um panelão cheio de uma coisa verde e gosmenta.

— Eca — disse Jorge, apertando o nariz. — O que é essa *coisa*?

— Acho que é o almoço de amanhã — respondeu Haroldo.

— Perfeito! — se animou Jorge. — Nunca pensei que ficaria *feliz* ao ver uma panela de picadinho de carne com creme!

Juntos, eles empurraram o panelão com a gororoba fedida pelo corredor e para fora da escola. O Capitão Cueca subiu no carrinho e esticou uma cueca sobre sua cabeça como um estilingue.

Jorge pulou no carrinho e, com uma concha, jogou a comida da cantina dentro da cueca e puxou-a para trás. Haroldo empurrou o carrinho em direção às Privadas Falantes.

— Trá-lá-láaaaaa!!!! — gritou bem alto o Capitão Cueca.

As Privadas Falantes se viraram e viram nossos três heróis. Todas gritaram ao mesmo tempo:

— NHAM, NHAM, VAMOS COMÊ-LOS! — E a caçada começou!

POF!

Haroldo empurrava o carrinho pelo pátio
enquanto as privadas corriam atrás deles.

— Primeiro tiro! — gritou o Capitão Cueca.

Jorge atirou uma porção do picadinho de carne
com creme na boca da primeira privada, que
engoliu tudo.

Haroldo continuava empurrando, enquanto
Jorge jogava outra porção na cueca e a esticava
para trás.

— Segundo tiro! — gritou o Capitão Cueca.

Zap! Lá foi a comida da cantina, direto na boca
da *segunda* privada.

O processo se repetiu até que todas as privadas tivessem engolido no mínimo duas porções de picadinho de carne com creme.

— Estamos quase sem munição! — gritou o Capitão Cueca.

— E eu acho que não consigo mais correr — disse Haroldo bufando.

— Não se preocupem... *olhem*! — disse Jorge, apontando para as privadas.

Todas elas tinham diminuído a velocidade e começado a gemer e a cambalear. Todas estavam com os olhos revirados e uma estranha coloração esverdeada.

— Olhem! — gritou Haroldo. — Acho que elas vão *vomitar*!

E foi o que aconteceu!

Jorge, Haroldo e o Capitão Cueca só olhavam enquanto as privadas colocavam para fora tudo o que tinham comido durante o dia. O picadinho cremoso de carne, as cuecas e até os professores, que saíram sem nenhum arranhão.

Depois, as privadas se contorceram, cambaleantes, e caíram estateladas no chão.

Jorge examinou os professores.

— Eles estão *vivos* — disse. — *Inconscientes*, mas vivos!

— Uau — comemorou Haroldo. — Foi *fácil*!

— Fácil *demais* — disse Jorge.

— O que você quer dizer? — perguntou Haroldo.

Jorge tirou da mochila o gibi que eles tinham feito e mostrou-o para Haroldo.

— Lembra como a FATIZ MAX fez tudo que estava na capa do nosso gibi ganhar vida? — ele perguntou.

— Sim, e daí? — falou Haroldo.

— Bem — disse Jorge, apontando para a *Privada Superturbo* na capa do gibi. — Ainda não vimos *esta*!

16. A PRIVADA SUPERTURBO

De repente, a Privada Superturbo chegou atacando pela porta da frente da escola com um terrível estrondo! A terra ruía sob seus passos poderosos, enquanto quase uma tonelada de aço e porcelana enraivecida e esmagadora avançava sobre os nossos heróis.

— Vocês três, bobos intrometidos, *podem
até* ter destruído o meu exército de Privadas
Falantes... — gritou a Privada Superturbo —
mas agora a comida da cantina *acabou*!
Como vão *ME* deter?!!?

— Vou lhe mostrar como — respondeu o Capitão Cueca, corajosamente. — Com o *poder do cuecão*!

— *Espere*, Capitão Cueca! — gritou Jorge. — Você não pode lutar com essa coisa! Ela vai fazer picadinho de você!

— Garotos — disse o Capitão Cueca com um tom nobre —, eu *tenho* que lutar valentemente por verdade, justiça e por *tudo* que é de algodão puro previamente encolhido!

O Capitão Cueca saltou sobre a Privada Superturbo, e a batalha começou.

— Eu realmente espero que isso não resulte em extrema violência gráfica — disse Haroldo.

— Eu também — concordou Jorge.

17. O CAPÍTULO DE INCRÍVEL VIOLÊNCIA GRÁFICA, PARTE 1 (EM VIRE O GAME®)

AVISO:

O próximo capítulo contém cenas muito fortes que mostram um homem de cueca lutando com uma privada gigante.

Por favor, não tente fazer isso em casa.

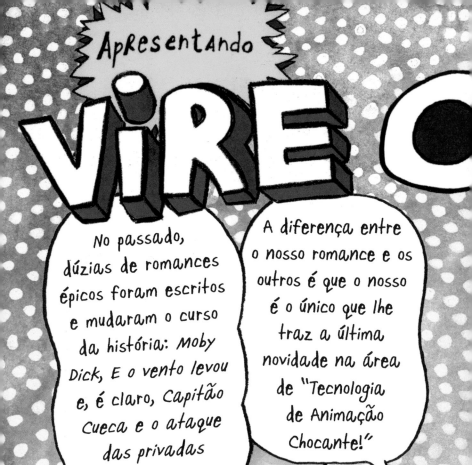

GAME®

É ASSIM QUE FUNCIONA!

PASSO 1
Ponha a mão *esquerda* dentro da linha pontilhada, onde está escrito "MÃO ESQUERDA AQUI". Mantenha o livro deitado e *aberto*.

PASSO 2
Segure a folha da *direita* com seu dedão direito de um lado e o indicador do outro (dentro da linha pontilhada, onde se lê "DEDÃO DIREITO AQUI").

PASSO 3
É só virar a página da direita *rapidamente* até que a figura pareça se *mexer*.

(Para mais diversão, faça seus próprios efeitos sonoros!)

VIRE O GAME 1

(pp. 91 e 93)

Lembre-se, vire *somente* a p. 91.
Ao virá-la, certifique-se de que consegue
ver a ilustração da p. 91 *e* a da p. 93.
Se virar rapidamente, os dois desenhos
vão parecer <u>um</u> só desenho *animado*.

Não se esqueça de acrescentar os efeitos sonoros!

MÃO ESQUERDA AQUI

PODER DO CUECÃO
X
PODER DO PRIVADÃO

DEDÃO
DIREITO
AQUI

PODER DO CUECÃO
X
PODER DO PRIVADÃO

VIRE O GAME 2

(pp. 95 e 97)

Lembre-se, vire *somente* a p. 95.
Ao virá-la, certifique-se de que consegue
ver a ilustração da p. 95 *e* a da p. 97.
Se virar rapidamente, os dois desenhos
vão parecer <u>um</u> só desenho *animado*.

Não se esqueça de acrescentar os efeitos sonoros!

MÃO ESQUERDA AQUI

OH, NÃO!!!
O PODER DO PRIVADÃO
GANHA NO SOCO!

DEDÃO
DIREITO
AQUI

OH, NÃO!!!
O PODER DO PRIVADÃO
GANHA NO SOCO!

VIRE O GAME 3

(pp. 99 e 101)

Lembre-se, vire *somente* a p. 99.
Ao virá-la, certifique-se de que consegue
ver a ilustração da p. 99 *e* a da p. 101.
Se virar rapidamente, os dois desenhos
vão parecer <u>um</u> só desenho *animado*.

Não se esqueça de acrescentar os efeitos sonoros!

MÃO ESQUERDA AQUI

A PRIVADA CARNÍVORA
CAPTURA O CAPITÃO

DEDÃO
DIREITO
AQUI

A PRIVADA CARNÍVORA
CAPTURA O CAPITÃO

18. HAROLDO E A CANETA DE TINTA ROXA

Toda esperança parecia perdida. O Capitão Cueca tinha escorregado e caído dentro da boca da Privada Superturbo, e agora a privada gigante estava vindo atrás de Jorge e Haroldo.

— Ha-ha-ha-ha-ha! — ria a poderosa porcelana predadora. — Depois de comer vocês dois, garotos, eu vou *dominar o mundo*!

— Não se a *gente* tiver como impedir! — gritou Jorge.

Jorge e Haroldo correram de volta para a escola e trancaram a porta atrás deles. A Privada Superturbo bateu violentamente com os punhos na porta fechada, gritando:

— Vocês, garotos, não podem se esconder aí para sempre!

Jorge e Haroldo correram para o ginásio.

— Tenho um plano — disse Jorge. — Temos que criar um personagem que consiga derrotar uma privada gigante.

— Que tal um robô urinol gigante? — sugeriu Haroldo. — Podemos chamá-lo de *O Urinador*!

— De jeito nenhum! — disse Jorge. — Nunca vão deixar a gente fazer isso em um livro infantojuvenil. Do jeito que as coisas são, já estamos pisando em *ovos* aqui.

— Está bem — concordou Haroldo. — Que tal um robô desentupidor gigante? Ele pode ter um desentupidor *realmente* enorme e ...

— *Isso aí!* — gritou Jorge.

Então, Haroldo pegou sua caneta de tinta roxa e começou a desenhar.

— Faça olhos de laser nele — mandou Jorge.

— Certo — respondeu Haroldo.

— E faça ele vir com um foguete impulsionador turboatômico — pediu Jorge.

— Feito — falou Haroldo.

— E faça-o obedecer a todos os nossos comandos — disse Jorge.

— *Já fiz* — concluiu Haroldo.

Haroldo acabou o desenho e Jorge inspecionou-o cuidadosamente.

— Isso *tem* que funcionar — disse Jorge.

— Sim — falou Haroldo. — Se a FATIZ MAX aguentar.

Os garotos se viraram e olharam a velha máquina rachada, surrada e empenada, deixada no canto. Jorge e Haroldo tentaram aprumá-la e limpá-la.

— Vamos, FATIZ, minha garota — disse Jorge.

— Realmente precisamos muito de você agora!

— É — continuou Haroldo. — O destino de todo o planeta está em nossas mãos!

19. O INCRÍVEL ROBÔ DESENTUPIDOR

Jorge pegou o desenho de Haroldo, colocou-o
na tela de vidro da FATIZ MAX e apertou "iniciar".
As luzes em volta se reduziram e a máquina
exausta começou a chacoalhar e a soltar fumaça.
Raios luminosos foram lançados, trovões estalaram
e toda a quadra estremeceu com a energia da
Fotoatômica Transglobuladora Iectofantriplutônica
Zanziptomizadora.

— Vamos, FATIZ! — Jorge gritava em meio
àquela barulheira horrível. — Você consegue, cara!

Finalmente, ouviu-se um pequeno estalido e a FATIZ MAX tossiu um ser gigantesco e metálico que se levantou e valentemente se postou diante de Jorge e Haroldo. Era o incrível Robô Desentupidor.

— *Oba!* — gritou Jorge. — *Funcionou!*

— Bom trabalho, FATIZ! — comemorou Haroldo. — Agora vamos lá fora dar um pontapé na bunda de uma certa Privada Superturbo!

20. O CAPÍTULO DE INCRÍVEL VIOLÊNCIA GRÁFICA, PARTE 2 (EM VIRE O GAME®)

AVISO:

O próximo capítulo contém cenas terrivelmente ousadas que mostram uma privada gigante tendo seu brilhante bumbum chutado. Toda violência contra privadas foi atentamente monitorada pela P.F.T.E.P. (Pessoas a Favor do Tratamento Ético das Privadas).

Nenhuma privada real foi maltratada durante a produção deste capítulo.

VIRE O GAME 4

(pp. 111 e 113)

Lembre-se, vire *somente* a p. 111.
Ao virá-la, certifique-se de que consegue
ver a ilustração da p. 111 *e* a da p. 113.
Se virar rapidamente, os dois desenhos
vão parecer <u>um</u> só desenho *animado*.

Não se esqueça de acrescentar os efeitos sonoros!

MÃO ESQUERDA AQUI

O INCRÍVEL ROBÔ
DESENTUPIDOR EM AÇÃO!

DEDÃO
DIREITO
AQUI

O INCRÍVEL ROBÔ
DESENTUPIDOR EM AÇÃO!

VIRE O GAME 5

(pp. 115 e 117)

Lembre-se, vire *somente* a p. 115.
Ao virá-la, certifique-se de que consegue
ver a ilustração da p. 115 *e* a da p. 117.
Se virar rapidamente, os dois desenhos
vão parecer <u>um</u> só desenho *animado*.

Não se esqueça de acrescentar os efeitos sonoros!

MÃO ESQUERDA AQUI

O INCRÍVEL ROBÔ DESENTUPIDOR CHUTA O TRASEIRO DA PRIVADA SUPERTURBO!

DEDÃO
DIREITO
AQUI

O INCRÍVEL ROBÔ
DESENTUPIDOR CHUTA
O TRASEIRO DA PRIVADA
SUPERTURBO!

VIRE O GAME 6

(pp. 119 e 121)

Lembre-se, vire *somente* a p. 119.
Ao virá-la, certifique-se de que consegue
ver a ilustração da p. 119 *e* a da p. 121.
Se virar rapidamente, os dois desenhos
vão parecer <u>um</u> só desenho *animado*.

Não se esqueça de acrescentar os efeitos sonoros!

MÃO ESQUERDA AQUI

A PRIVADA SUPERTURBO
É DESENTUPIDA!

DEDÃO
DIREITO
AQUI

A PRIVADA SUPERTURBO
É DESENTUPIDA!

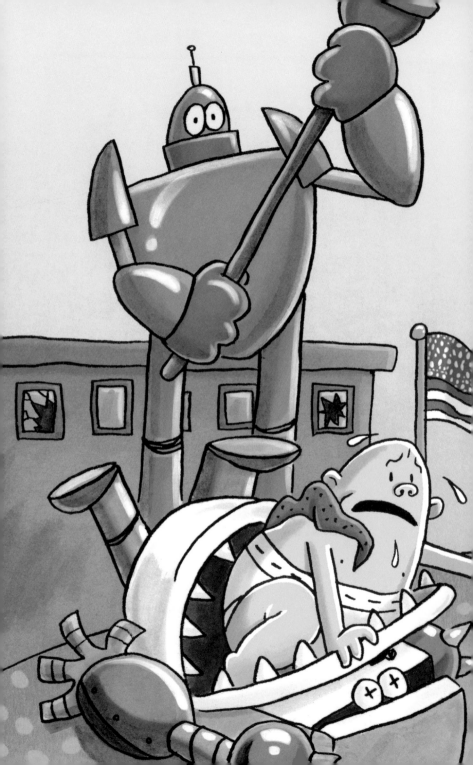

21. A CONSEQUÊNCIA

O incrível Robô Desentupidor derrotou a diabólica Privada Superturbo, mas os problemas de Jorge e Haroldo ainda não haviam acabado. Eles correram até a boca amassada da Superturbo e puxaram o diretor para fora.

— *O que aconteceu aqui?* — gritou o sr. Krupp.

— A escola foi *destruída*, todos os professores estão *inconscientes*, e eu estou só de *cueca*!

— Epa! — cochichou Haroldo. — O Capitão Cueca deve ter molhado a cabeça na água da privada. Ele voltou a ser o sr. Krupp!

Jorge pegou as roupas e a peruca do sr. Krupp na mochila e entregou a ele.

— Estou perdido! — lamentava o sr. Krupp enquanto se vestia. — Vou ser considerado o responsável por esta bagunça! Vou perder meu emprego!

— Talvez não — disse Jorge. — Podemos consertar tudo e limpar toda essa bagunça.

— Sim — falou Haroldo. — Mas isso vai lhe custar uma coisa!

— O *quê*? — perguntou o sr. Krupp.

— Bem — respondeu Jorge —, nós queremos que você cancele nosso castigo *e* nossa suspensão!

— E também queremos ser *Diretores por um dia*! — disse Haroldo.

— Está bem — concordou o sr. Krupp. — Se vocês realmente consertarem *tudo*, estamos combinados!

Jorge e Haroldo se voltaram para o incrível
Robô Desentupidor:

— Muito bem, garoto robótico — falou Jorge —,
agora seja útil e arrume toda essa bagunça!

— Isso mesmo, e conserte a escola toda também
— mandou Haroldo. — Use seus olhos de laser para
consertar todas as janelas e coisas quebradas!

— E quando terminar — acrescentou Jorge —
pegue todas as evidências e leve-as para Urano.

— E não volte mais! — disse Haroldo.

22. PARA ENCURTAR A HISTÓRIA

O robô obedeceu.

23. DEPOIS DA CONSEQUÊNCIA

O incrível Robô Desentupidor desapareceu no espaço justamente quando os professores começaram a recuperar a consciência.

— Eu acabei de ter um sonho estranhíssimo — disse a sra. Ribble. — Era sobre privadas diabólicas que queriam dominar o mundo.

— Nós também tivemos o mesmo sonho — afirmaram os outros professores.

— Bem — disse o sr. Krupp —, tudo terminou bem, afinal!

— Ainda não — falou Jorge. — É hora do *troco*!

24. DIRETORES POR UM DIA
(OU A SUSPENSÃO DA SUSPENSÃO E DA DETENÇÃO DA CONVENÇÃO DA INVENÇÃO)

— Atenção, alunos — disse Jorge pelo sistema de comunicação no dia seguinte. — Aqui é o diretor Jorge. Hoje, todos vocês estão dispensados das aulas. Não haverá lição de casa nem provas e todo mundo ganhará um 10 pelo dia.

— Certo — concordou o diretor Haroldo. — E também oferecemos o dia inteiro de recreio lá fora, com pizza grátis, batata frita, algodão-doce e um DJ ao vivo. Agora, todos para fora e divirtam-se!

O diretor Jorge e o diretor Haroldo passearam pelo pátio para contemplar seu glorioso império. Jorge pegou um pedaço de pizza de calabresa e Haroldo fez uma banana split na sorveteria Tudo-O-Que-Você-Puder-Comer.

— É *ótimo* ser diretor! — disse Jorge.

— E como! — falou Haroldo. — Eu queria ser diretor todos os dias!

Depois, Jorge e Haroldo fizeram uma visita
ao desafortunado pessoal que estava passando o
dia escrevendo sentenças na sala de detenção.
Todos os professores estavam lá, acompanhados
pelo sr. Krupp e por Melvin Sneedly.

O sr. Krupp olhou pela janela e viu a comemoração
do dia de recreio lá fora.

— Como vocês, garotos, vão *pagar* por todos
esses sorvetes e pizzas? — ele perguntou.

— Ah, nós vendemos algumas coisas — respondeu Haroldo.

— *O que foi que vocês venderam?* — perguntou o sr. Krupp.

— Sua mesa e a cadeira de couro — explicou Jorge. — E todos os móveis da sala dos professores.

— *O QUÊ?!!?* — gritou o sr. Krupp.

— Humm... Acho melhor a gente sair agora — disse Haroldo.

Eu serei, muito, muito, muito muito, muito, muito, muito legal com Jorge, o "Grande" e com o "Surpreendente" Haroldo. Eu se

Jorge e Haroldo saíram apressados da sala de detenção. A srta. Anthrope estalou os dedos para eles.

TEC!

— *Voltem aqui agora mesmo!* — ela gritou.
— Ô-ôu — disse Jorge. — A srta. Anthrope *estalou os dedos*?

Em segundos, o sr. Krupp saiu correndo da sala de detenção e passou pelo corredor em direção à sua própria sala. Ele tinha no rosto um sorriso pateta, heroico e *muitíssimo familiar*.

— Ah, não! — gritou Haroldo.

— Lá vamos nós *de novo*! — exclamou Jorge.

Quadrinhos Casa na árvore orgulhosamente apresenta:

O HOMEM-CÃO

em

A LÍNGUA DA JUSTIÇA

Ação

Triplo Vire o Game

Risadas

Por Jorge B. e Haroldo H.

O Homem-Cão era o melhor policial de todos os tempos!!!

Mas ele tinha alguns maus hábitos.

Ele tomava água da privada.

Ele se lambia em partes inomináveis.

E vomitava em todos os lugares.

BLERGH

Homem-Cão!!!

MAIS TARDE

Por que você tem que me azucrinar, hein?

É melhor você tomar jeito ou vai ver só!!

O Homem-Cão prometeu ser um homem melhor...

... mas ele ia conseguir ser um cão melhor?

Pepê se dirigiu para a delegacia de polícia...

E pôs um aromatizador de ar em cada carro de polícia.

Ha-ha!!!

Em breve todos os policiais serão meus escravos!!!

MAIS TARDE

Triiiim

Alô?

Está tendo um assalto a banco.

Onde?

No banco!

Ah.

Logo todos os policiais se transformaram em zumbis irracionais...

... menos um!

O Homem-Cão gostava de dirigir com a cara para fora da janela.

Então ele não sentiu o cheiro do maligno aromatizador de ar!

O Homem-Cão chegou ao banco...

...bem na hora em que Pepê estava fugindo.

Chamando todos os policiais zumbis!

Me encontrem em meu laboratório secreto...

... e sejam rápidos!!!

Sim, mestre Pepê! Vamos obedecer!!!

O Homem-Cão perseguiu Pepê por toda a cidade...

... até seu laboratório secreto.

Laboratório secreto do PEPÊ

Eles correram escada acima.

O Homem-Cão estava ficando com muita sede...

Quando ele a viu!!!

Brilhante... reluzente... refrescante...

Fresca como uma nascente da montanha...

Deliciosa para matar a sede...

O Homem-Cão subiu correndo até o próximo andar,

Onde uma grande surpresa esperava por ele.

Lá embaixo, na minha brilhante, branca...

... privada!!!

O Homem-Cão tinha que agir rápido! Então ele pensou num plano de 3 passos.

TRiPLO ViRE O GAMe

faça uma animação tosca. Veja como:

Segure o livro aberto assim.

Vire a página para a frente e para trás.

faça seus próprios efeitos sonoros!

Mão esquerda aqui

Passo 1
Recuperar o antídoto

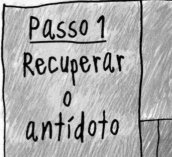

Passo 2
Recolher o antídoto

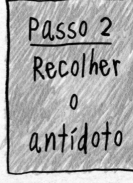

Passo 3
Aplicar o antídoto

EM BREVE:

uma seleção com os primeiros trabalhos de Jorge e Haroldo

Trazendo:

★ Miniquadrinhos raros.

★ Versões abrangentes.

★ Um monte de coisas nunca vistas antes!

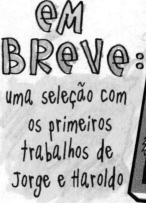

CURIOSIDADE #1

Quando estava no terceiro ano, Dav Pilkey criou uma história em quadrinhos chamada *Capitão Cueca e o ataque da privada falante*. Era sobre um cientista do mal que criava uma poção para dar vida às coisas. O cientista jogava a poção na privada e dava descarga, esperando se livrar dela. Infelizmente, a poção fez a privada ganhar vida. Essa história em quadrinhos, criada em 1975, foi a inspiração para este "romance épico".

CURIOSIDADE #2

Você deve ter percebido que há um tema recorrente nas histórias em quadrinhos de Jorge e Haroldo: o professor de educação física sempre é atacado pelos vilões, mas ninguém se importa. Isso acontece repetidas vezes porque alguns* dos antigos professores de educação física de Dav Pilkey eram MUITO, MUITO CRUÉIS com ele. Então, que isso sirva de lição para todos os professores de educação física mundo afora: sejam legais com seus alunos, ou algum dia eles vão crescer e se vingar tirando sarro de vocês em "romances épicos"!

* Obs.: o advogado de Dav Pilkey o orientou a usar a palavra "alguns".

CURIOSIDADE #3

O termo "Convenção da Invenção" foi criado pelo tio de Dav, Peter. Peter Pilkey** é um professor hoje aposentado, que todo ano organizava uma Convenção da Invenção na escola onde dava aula.

** Obs.: apesar de haver especulação por aí, o tio Peter nunca teve nada a ver com um monte de pimentão em conserva.

CURIOSIDADE #4

A menininha que aparece na p. 34 é Madison, a sobrinha de Dav Pilkey. Ela tinha dois anos quando este livro foi lançado.

CURIOSIDADE #5

Jorge e Haroldo foram baseados em Dav Pilkey quando era criança. Assim como Jorge e Haroldo, Dav era o arteiro da sala. Ele criava quadrinhos, se metia em muita confusão com os professores e o diretor e até mudava a ordem das letras em cartazes e murais.

CURIOSIDADE #6

Melvin Sneedly foi baseado em uma pessoa real da classe de Dav Pilkey. Ele terminava a tarefa antes de todo mundo, corrigia seus próprios trabalhos e sempre se dava nota dez. Ele também era um grande fofoqueiro.

SOBRE O AUTOR

Dav Pilkey nasceu em 1966, em Cleveland, Ohio (EUA). Enquanto a maioria das crianças preferia brincar na rua e jogar beisebol ou futebol, Pilkey costumava ficar dentro de casa, desenhando animais, monstros e super-heróis. Quando entrou na escola, passava mais tempo na sala do diretor do que na sala de aula, por suas piadas fora de hora, que agradavam aos colegas, mas não à professora. Nessa época, começou a inventar suas primeiras histórias, entre elas as séries As Aventuras do Capitão Cueca e Ricky Ricota e seu Super-Robô. Dav vive em uma pequena ilha em Washington (EUA), com sua esposa Sayuri e seus animais de estimação.